ANN GRIFFITHS

1776-1805

gan

Y Parchedig D. Tecwyn Evans, M.A., D.D.

GWASG PANTYCELYN

Argraffiad cyntaf 1955

ISBN 1-903314-77-1

Diolch i Emlyn Evans, Gwasg Gee
am ei gefnogaeth

Cyhoeddwyd gan Wasg Pantycelyn, Caernarfon
Argraffwyd gan Wasg y Bwthyn, Caernarfon

RHAGAIR I'R ARGRAFFIAD NEWYDD

Y mae emynau Ann Griffiths yn dal yn fythol newydd a phob trafodaeth aeddfed, feddylgar ohonynt yn dwyn rhagor o'u golud i'r golau. Er mai llyfryn i ddathlu 150 mlwyddiant marw'r emynyddes ryfeddol hon oedd y tair ysgrif hyn a ysgrifennodd y Parchedig Dr Tecwyn Evans, y mae ei ymdriniaeth gyfoethog yn dal yn werthfawr heddiw ac yn gwbl berthnasol i ninnau wrth inni gofio'r ddaucanmlwyddiant. Gwyddom fwy bellach am amgylchiadau oes Ann Griffiths ac am ddiwylliant ei hardal; gwnaed gwaith manwl ar destun ei hemynau ond deil sylwadau Tecwyn Evans ar 'y newid a fu arnynt' yn ddiddorol fel agwedd ar hanes ein hemynyddiaeth. Ond yn nhreiddgarwch golwg Ann Giffiths ar wrthrych mawr ei chred a dyfnder ei defosiwn ymserchol y mae gogoniant ei hemynau ac y mae sylwadau Tecwyn Evans ar 'eu nodweddion a'u hathrawiaeth' (sydd, efallai, yn fwy gwerthfawr i'n hoes ni nag yr oeddent hyd yn oed pan luniwyd hwy), yn parhau i'w goleuo ac i ddyfnhau ein myfyrdod ninnau. Caiff darllenwyr heddiw yr un budd a bendith o oedi yng nghwnmi Ann Griffiths gyda Tecwyn Evans ag a gafodd darllenwyr cyntaf ei waith.

Haf 2005 *BRYNLEY F. ROBERTS*

CYNNWYS

Rhagair 7

1. Hanes ei bywyd 9

2. Ei Llythyrau 15

3. Ei Hemynau 20

ANN GRIFFITHS
1776-1805

RHAGAIR

Traddodwyd y rhan fwyaf o gynnwys hyn o lyfryn yn y ffurf o ddarlith yma ac acw ym mhob sir yng Nghymru ac ymhlith y Cymry ar wasgar yn Lloegr. Rhai o wrandawyr y ddarlith honno a'm cymhellodd i lunio'r llyfryn yn wyneb marwolaeth Ann Griffiths gan mlynedd a hanner yn ôl, Awst 10, 1805.

Nid yw'r hyn a ysgrifennwyd yma'n proffesu disbyddu'r pwnc o gwbl, ond gobeithio y bydd yn foddion i gymell astudiaeth chwanegol ar ran mwy nag un darllenydd. Yn y gobaith hwnnw y cyhoeddir ef, a chan hyderu y bydd yn gymorth i rywrai, yn enwedig i ieuenctid Cymru, weld rhyw gymaint o deilyngdod gwaith y Gymraes ieuanc y dywedodd Syr Owen Edwards, wrth sôn amdani, fod "nwyf a melyster ieuanctid yn ei chân, a mawredd tragwyddoldeb hefyd."

Y Rhyl: Mehefin 1, 1955 — *D. TECWYN EVANS*

1. HANES EI BYWYD

ANN GRIFFITHS yn ddiamau yw un o'r merched mwyaf athrylithgar a fagasom ni genedl y Cymry, hyd yn hyn; ac yn ôl barn Caledfryn a Syr Owen Edwards, hi hefyd yw emynyddes ardderchocaf y byd. Ganed hi Ebrill 1776 yn ffermdy Dolwar Fach, Llanfihangel-yng-Ngwynfa, sir Drefaldwyn. Merch ydoedd i John Thomas a'i briod Jane. Hi oedd merch hynaf ei rhieni, a'r ieuangaf ond un o'r plant. Teulu rhadlon, hawddgar oedd y teulu hwn, Bereaid o bobl, yn foneddigeiddiach na llawer wrth natur, heb sôn am ras. Eglwyswyr selog oedd aelodau'r teulu yn Nolwar Fach, yn cyrchu i Eglwys y plwyf yn gyson, ac yn cadw "y ddyletswydd deuluaidd" ar yr aelwyd gartref drwy gymorth y Llyfr Gweddi Gyffredin yn ogystal â'r Beibl.

Yn ôl Gwallter Mechain, sir Drefaldwyn oedd un o'r parthau mwyaf diffaith mewn ystyr lenyddol yn 1790, pan oedd Ann Thomas, Dolwar Fach, yn bedair ar ddeg oed. Ond yn union wedyn bu deffroad llenyddol drwy y rhan fwyaf o'r sir; cynhaliwyd cyfarfodydd llenyddol a mân eisteddfodau yma ac acw, ac enynnwyd cariad at lenyddiaeth a cherddoriaeth nes bod sir Drefaldwyn erbyn 1800 yn bur agos at fod y rhan fwyaf diwylliedig o Gymru. Gellir yn rhwydd gredu bod y deffroad llenyddol hwnnw wedi cyfrannu rhyw gymaint tuag at ddeffroi a gloywi a grymuso cyneddfau cryfion y ferch ieuanc a fegid ar y pryd ar aelwyd Dolwar Fach. Yr oedd ei thad, John Thomas, yn fardd go dda, a'i lawysgrif yn nodedig o gain. Cafodd Ann, y ferch, well addysg na'r cyffredin o enethod tebyg eu hamgylchiadau yn y cyfnod hwnnw: gallai ddarllen a deall Saesneg, ar ôl bod yn ysgol Mrs. Owen (Saesnes) yn Nolanog ac yn enwedig ar ôl bod yn ysgol yr Eglwys yn Llanfihangel-yng-Ngwynfa.

Ann oedd pedwerydd plentyn ei rhieni, ac yr oedd iddi frawd teilwng iawn, ei brawd hynaf, yr un enw â'i dad (John), a hwnnw yn gyfaill mawr â gŵr da o'r enw Samuel Owen, ysgolfeistr mewn ardal gyfagos a phregethwr cynorthwyol efo'r "Methodist New Conexion," yr haid gyntaf a aeth allan o'r cwch Methodistaidd yn Lloegr ar ôl marwolaeth John Wesley yn 1791. Rhoddai Samuel Owen fenthyg llyfrau i fab hynaf Dolwar Fach, llyfrau o waith Bedyddwyr yn eu plith; er enghraifft, "Y Wisg Wen Ddisglair" gan Timothy Thomas, y llyfr gorau yn y byd ar Gyfiawnhad drwy Ffydd, ebe Christmas Evans; a llyfr mwy hyglod na hwnnw, "Taith y Pererin" gan y Bedyddiwr John Bunyan. Wrth ddarllen llyfrau fel y rheini arweiniwyd meddwl John Dolwar Fach i drallod mawr ynghylch ei berthynas â Duw a'i ragolygon ar gyfer tragwyddoldeb. Ni chafodd John mo'r heddwch sydd tuag at Dduw nes derbyn Crist yn Waredwr. Bu hynny yn ei hanes ef yng nghapel y Methodistiaid Calfinaidd ym Mhen-llys, lle y pregethid yr Efengyl gan y cenhadon Methodistaidd (Calfinaidd), cyn i'r Achos symud i Bontrobert. Daeth John yn flaenor yn y man, ond bu farw yn ddeunaw ar hugain oed, yn ŵr mawr ei barch a'i ddylanwad mewn darn helaeth o'r wlad.

Tra oedd John ei brawd yn poeni ac yn pryderu ynghylch ei enaid, yr oedd Ann ei chwaer yn eneth brydweddol, ddawnus, ond yn ysgafnfryd yn ôl safonau Piwritanaidd ac Ymneilltuol y cyfnod. Yr oedd hi'n arfer cymryd rhan amlwg yn yr

Interliwdiau a chwaraeid yma ac acw, ac yn hoff iawn o'r Nosweithiau Llawen a oedd mewn cymaint bri'r adeg honno. Arferai wawdio'r pererinion wrth eu gweld yn cychwyn dros y mynyddoedd i'r Sasiwn yn y Bala, neu'n mynd i'r Seiad ym Mhontrobert. Yr oedd hi, ebe John Hughes, Pontrobert, yn ferch o gyfansoddiad tyner, wynepryd gwyn a gwridog, talcen lled uchel, gwallt tywyll, yn dalach na merched yn gyffredin; llygaid siriol ar don y croen, a golwg lled fawreddog arni, ond yn dra naturiol a hoffus mewn cwmni a garai. Bu farw ei mam yn 1794, pan oedd Ann yn ddeunaw oed, a hi a fu'n gofalu am y cartref wedyn hyd farwolaeth ei thad a'i phriodas hithau yn 1804. Cryn gyfrifoldeb oedd hynny i eneth mor ieuanc, a phwysig yw cofio hynny wrth inni astudio'i hemynau: cyfansoddwyd hwy yng nghanol llafur cyson o fore gwyn hyd nos mewn ffermdy ar ucheldarau sir Drefaldwyn dros gan mlynedd a hanner yn ôl.

Aeth rhyw syniad ar led fod Ann Thomas yn eneth anystyriol ac annuwiol nes cyrraedd ohoni ei hugain oed. Braidd yn amheus o wirionedd hynny yw ysgrifennydd hyn o lyfryn. Y mae'n wir fod merch Dolwar Fach yn amlwg yn yr Interliwdiau a'r Nosweithiau Llawen, ond nid digon o braw yw hynny ei hun ei bod yn ferch hollol anystyriol. Gwir hefyd ei bod yn gwawdio'r Methodistiaid, ond dichon mai am ei bod, yn bennaf, yn Eglwyswraig selog y gwnâi hi hynny; yr amser hwnnw, yr oedd Eglwyswyr ac Ymneilltuwyr yn fwy chwannog nag ydynt erbyn hyn i wawdio'i gilydd. Peth arall, cynhelid (fel y dywedwyd) y ddyletswydd deuluaidd ar aelwyd y cartref, a phwy a all fesur faint o gysgod dros gymeriadau'r plant fu'r "ddyletswydd" honno? At y cwbl, yr oedd dylanwad dwys, distaw eisoes yn llifo i feddwl ei chwaer oddi wrth ei brawd John, dylanwad a fu'n help i baratoi ffordd yr Arglwydd yn y man ynglŷn â'i hiechydwriaeth hithau.

Yn ôl popeth a wyddys, pan oedd hi'n ugain oed aeth hi ar

ddydd Llun y Pasg i ffair enwog Llanfyllin a chyfarfod yno a chyfnither iddi, sef nain yr Hybarch ddiweddar Ddr. Owen Evans, Llundain a Llanbryn-Mair. Annibynwraig eiddgar oedd yr eneth honno, a pherswadiodd hi ferch Dolwar Fach i ado'r ffair y prynhawn hwnnw a mynd efo'i gilydd i gapel yr Annibynwyr, Pendref, lle'r oedd Cyfarfod Pregethu a'r Parch. Benjamin Jones, Pwllheli, yn gweinyddu. Ychydig a feddyliodd Benjamin Jones, yn ddiau, beth yr oedd yn cael y fraint o'i wneuthur y prynhawn hwnnw. "He builded better than he knew." Ychydig a dybiai ei fod yn offeryn y dydd hwnnw i sobri a dwyseiddio meddwl y ferch fwyaf talentog a oedd yng Nghymru ar y pryd. Ac er nad oedd Ann Thomas (hyd y gallwn weled) ddim yn eneth anystyriol cyn hynny, eto hi a aeth adref o ffair Llanfyllin yn eneth bur wahanol i'r hyn ydoedd pan aeth hi yno. Treuliodd y misoedd dilynol mewn tristwch mawr, ac ni chafodd hi, mwy na'i thad na'i brawd o'i blaen, mo'r tangnefedd sydd uwchlaw pob deall nes mentro'i thynged ar drugaredd Duw yng Nghrist. Digwyddodd hynny iddi hi yng nghapel y Methodistiaid Calfinaidd ym Mhontrobert, ryw fore Sul yng Ngwanwyn 1797, pan bregethai Ishmael Jones, Llandinam, a phan oedd Ann Thomas yn un ar hugain oed. Yng ngoleuni'r ddwy oedfa a nodwyd, un yn Llanfyllin a'r llall ym Mhontrobert, y gellir deall ei holl emynau. Ar ôl dechrau gweld mawredd digymar a thegwch Crist y dechreuodd hi ganu fel y gwnaeth byth wedyn. Bellach,

Ni ddichon byd a'i holl deganau
  Fodloni fy serchiadau'n awr,
A enillwyd, a ehangwyd
  Yn nydd nerth fy Arglwydd mawr.

Gwelir bod Ann Griffiths yn ddyledus i ryw fesur i'r pum cangen pwysicaf o'r Eglwysi Protestannaidd a oedd ym

Mhrydain ar y pryd. Y mae hi'n ddyledus, i ddechrau, i'r Eglwys Sefydledig, am mai hi a heuodd hadau gwybodaeth Ysgrythurol a diwinyddol yn ei meddwl gan beri iddi fod yn hyddysg yn y Beibl ac yn y Llyfr Gweddi Gyffredin. Wedyn, y mae hi'n ddyledus, i ryw fesur, i'r Bedyddwyr a'r Eglwys Fethodistaidd, yng nghysgod Samuel Owen, y pregethwr cynorthwyol a roes fenthyg llyfrau o waith Bedyddwyr i'w brawd John; y rheini'n dylanwadu ar John, ac yntau yn ei dro yn dylanwadu ar ei chwaer dalentog. (Addefwn mai'n o brin y daw'r ddau enwad parchus a nodwyd i mewn yn y cysylltiad hwn, ond fe ddaw'r ddau felly, a chroen eu dannedd, yng nghysgod y Methodist Samuel Owen a'r llyfrau Bedyddiedig a enwyd!) Un o bregethwyr yr Annibynwyr a fu'n offeryn i ddwyseiddio'i meddwl, ac ymhlith y Methodistiaid Calfinaidd y maethwyd ei bywyd ysbrydol yn ystod wyth mlynedd olaf ei hoes Ond pa mor ddyledus bynnag y bu hi i neb ohonom, erbyn hyn y mae pawb o bob enw yn ein plith yn anhraethol ddyledus, o dan Ragluniaeth fawr y Nef, iddi hi.

Fodd bynnag, rhyngom i gyd, cafodd Ann Thomas afael ar grefydd yn ei grym, crefydd lawn o sêl angerddol. Byddai'r Beibl yn agored ar y bwrdd yn y gegin yn Nolwar Fach, pan fyddai hi'n gwau neu'n nyddu, a hithau'n cipio adnodau allan ohono i borthi ei meddwl a'i hysbryd. Cerddai gyda'i chyfeillesau i'r Sasiynau yn y Bala, cofiai'r pregethau a glywai yno (yr oedd ganddi gof diarhebol o dda); wedi dychwelyd adref adroddai gynnwys y pregethau wrth ei chymdogion, er eu mawr lesâd. Yr oedd yn nodedig a astud wrth wrando'r Efengyl, ac ystyriai'r pregethwyr ei bod, ar ei phen ei hun, yn gynulleidfa dda. Ni bu'n amlwg, hyd y gwyddom, mewn gweddïau cyhoeddus, ond rhoes le mawr yn ei bywyd byr i weddi ddirgel.

Yn Hydref 1804 ymbriododd a Thomas Griffiths, gŵr ieuanc bucheddol ac aelod o deulu parchus. Byr fu tymor y briodas honno. Bu'r wraig ieuanc farw yn naw ar hugain oed, Awst 10, 1805, ar enedigaeth ei chyntafanedig. Bu farw ei phriod ymhen dwy flynedd a hanner ar ei hôl, ac am ryw reswm neu'i gilydd bu ei bedd ym mynwent Llanfihangel-yng-Ngwynfa am drigain mlynedd heb na cholofn na charreg arno. I ymdrechion canmoladwy'r Parchedigion Edward Griffiths, Meifod, a Francis Jones, Abergele, y mae'r diolch am fod cofgolofn hardd ers llawer blwyddyn bellach ar fangre'i llwch, a Chapel Coffa teilwng yn Nolanog o barch i'w henw a'i gwaith.

2. EI LLYTHYRAU

Y mae o leiaf wyth o'i llythyrau ar gael: saith ohonynt at John Hughes, ac un yn ei llawysgrif hi ei hun at gyfeilles grefyddol; y mae'r llythyr hwnnw yn y Llyfrgell Genedlaethol yn Aberystwyth. Y mae hefyd o leiaf ddwy farn am lythyrau Ann Griffiths. Tybia rhai eu bod yn rhagori hyd yn oed ar ei hemynau; dyna farn Dyfed, er enghraifft. Barn eraill yw nad yw'r llythyrau'n deilwng o'r ferch a ganodd emynau mor odidog. Cred ysgrifennydd hyn o eiriau fod y gwir ar y mater hwn, megis y mae ar lawer un arall, yn rhywle tua'r canol. Ni allwn yn ein byw weled bod y llythyrau'n rhagori ar yr emynau; ar y llaw arall, ni allwn weled eu bod o gwbl yn annheilwng o'r ferch a luniodd emynau mor gyfoethog, yn enwedig os cofir yr amgylchiadau. Cofier mai llythyrau personol ydynt bob un; ni feddyliodd y neb a'u hysgrifennodd y gwelai neb hwy ond y personau'r anfonai hi atynt. Ychydig a feddyliodd hi y darllenid hwy gan filoedd o Gymry ym mhob rhan o'r byd. Cofier hefyd mai llythyrau ydynt o waith merch ieuanc a godai'n fore ac a weithiai'n galed drwy'r dydd, gan ofalu am y cartref a'r teulu er pan oedd hi'n eneth ddeunaw oed. Bydd cofio'r pethau hyn yn help inni iawn-brisio'r llythyrau, heb eu gorbrisio ar y naill law, heb eu tanbrisio chwaith ar y llall.

Fel y maent, dangosant allu meddwl gwreiddiol a digamsyniol. Dangosant hefyd fod y ferch a'u hysgrifennodd yn ddiwylliedig, ac yr oedd hi felly am ei bod mor olau yn ei Beibl, canys y mae gwybod y Beibl i'r un graddau ag y gwyddai Ann Griffiths ef yn wir ddiwylliant o'r dosbarth blaenaf. Y mae'n amlwg hefyd oddi wrth y llythyrau fod y neb a'u hysgrifennodd yn gweddïo llawer; fod yn ei phrofiad gyfuniad o ofn a hyder, lledneisrwydd a thanbeidrwydd ysbryd, ysbryd lleddf a gorfoleddus. Daw'r un nodweddion i'r golwg yn yr emynau, yn ogystal a nodweddion eraill, megis y rhai a ganlyn.

(1) Dengys y llythyrau, fel yr emynau, fod Ann Griffiths yn *anhunangar* iawn yn ei chrefydd. Cais hi grefydd, nid er ei mwyn hi ei hun, ond er gogoniant a moliant i ras Duw. Enghraifft deg oedd yr eiddi hi o grefydd yn canolbwyntio yn Nuw er ei fwyn ei Hun. Cyffelyb oedd y Gymraes o Ddolwar Fach o ran anianawd i'r santes a ruthrai allan o'r lleiandy yn Ewrop ryw ddiwrnod gyda fflamdorch gynn mewn un llaw a phiseraid o ddwfr yn y llaw arall, a rhywun yn gofyn iddi i ba le'r âi, a pheth oedd ei bwriad. Hithau'n ateb, "Yr wyf yn mynd i losgi'r nefoedd efo'r fflamdorch ac i ddiffoddi uffern efo'r dŵr, er mwyn imi gael caru Duw er ei fwyn ei Hun, fel pe na byddai na nefoedd nac uffern!" Nid oedd Ann Griffiths yn perthyn i'r un enwad â'r ferch a lefarodd felly, ond yr oedd yn perthyn i'r un Eglwys.

Y mae Ann Griffiths yn dyheu am "garu y Rhoddwr yn fwy na'i roddion," ac yn chwilio am wir grefydd nid o ran ei phleser ei hun, ond o barch i Dduw. Wele'i thystiolaeth:

> Y mae rhwymau mawr arnaf i ddywedyd yn dda am Dduw, ac i fod yn ddiolchgar iddo am raddau o gymdeithas y dirgelwch. Ond dyma fy ngofid: *methu aros, parhaus ymadael*. Yr wyf yn gweled fy ngholled yn fawr oblegid hyn, ond y dianrhydedd a'r amarch ar Dduw sydd fwy na hynny."

"Methu aros" ebe hi: cymharer â hyn ddiwedd un o'i hemynau mwyaf. "O! am *aros* Yn ei gariad ddyddiau f'oes."

Y mae hi'n diolch yn un o'i llythyrau am fod Ffordd Iechydwriaeth yn gwobrwyo'i theithwyr; ond parod iawn oedd hi i ddiolch mwy amdani am ei bod yn gogoneddu mwy ar ei Hawdur nag a wobrwyai ar ei theithwyr.

(2) Nodwedd arall yn y llythyrau yw ei dyhead am sancteiddrwydd:

> "cael gadael ar ôl bob tueddiad croes i ewyllys Duw, gadael ar ôl bob gallu i ddianrhydeddu deddf Duw, pob gwendid yn cael ei lyncu gan nerth, cael cydymffurfiad cyflawn â'r gyfraith sydd eisoes yn fy nghalon, a mwynhau delw Duw am byth."

(3) Ysbryd duwiolfrydig, a thalent loyw ar brydiau (nid bob amser, neu'n llwyrgwbl, megis yn yr emynau). Sylwer ar ddiwedd y dyfyniad hwn:

> "Y mae'r olwg isel sydd ar Achos Duw mewn amryw fannau y dyddiau hyn yn gwasgu'n ddwys ar fy meddwl. Y mae rhwymau mawrion ar bob enaid deffrous i ymdrechu llawer â Duw mewn taer weddi am iddo anfon y gwyntoedd i chwythu ar ei ardd wywedig fel y gwasgarer ei pheraroglau *– fel y byddo Satan a holl ddeiliaid ei deyrnas yn colli eu hanadl gan rym yr arogl.*"

Dyna'r un urddas a rhwysg mewn meddwl ac mewn mynegiad ag a geir yn yr emynau ar eu gorau, a dyna un ffordd i brofi dilysrwydd ei hemynau: y tebygrwydd sydd rhyngddynt a'r llythyrau nad amheuodd neb eu dilysrwydd. Bu rhai pobl yn amau a allodd merch mor ieuanc ag Ann Griffiths erioed gyfansoddi emynau mor fawr. Nid rhaid i neb amau hynny mwyach ar ôl ymchwil y diweddar Barch. Thomas Shankland ac eraill i'r mater. Dau bennill yn unig a briodolid mewn rhai llyfrau emynau i Ann Griffiths ar gam. Un oedd "O! Arglwydd Dduw rhagluniaeth, Ac iechydwriaeth dyn." Ni ŵyr neb enw ei awdur, a dodwyd "Anadnabyddus" odano mewn casgliad diweddar o emynau. Y llall yw "Ffrydiau tawel, byw, rhedegog, O dan riniog Tŷ fy Nuw." Awdur hwn oedd y Parch. Nathaniel Williams, gweinidog efo'r Bedyddwyr yn sir Gaerfyrddin (1742-1826). Cyhoeddwyd y pennill hwnnw mewn casgliad o emynau o waith Nathaniel Williams o dan y teitl "Ychydig o Hymnau Newyddion" yn 1787, pryd nad oedd Ann Griffiths yn ddim ond un ar ddeg oed. Dyna ben, felly, ar bob dadl parthed awduriaeth y pennill; a dyna, atolwg, enghraifft o Uwchfeirniadaeth agos-atoch, sy'n dangos peth mor ddiniwed a difyr a buddiol y gall hi fod, er gwaethaf yr holl gondemnio a fu ac y sydd arni. (Nid yw Uwchfeirniadaeth yn ddim ond gwaith pobl yn cymharu gwahanol lyfrau â'i gilydd er mwyn rhoi cyfle i'r cymharu hwnnw daflu goleuni ar oed ac awduriaeth a nodweddion meddyliol a llenyddol y llyfrau.) Y mae'r tebygrwydd sydd rhwng llythyrau ac emynau Ann Griffiths yn cadarnhau'r gred fod y cwbl wedi deillio o'r un ffynhonnell.

(4) Profiadau dyfnion ac anghyffredin. Dywedodd Thomas Charles na welodd ef neb erioed, na mab na merch, a gafodd y fath brofiadau dyfnion ac anghyffredin â'r Gymraes ieuanc hon. Clywir adlais y cyfryw brofiadau yn ei llythyrau. Meddai yn un ohonynt: "Diolch byth am fod y ffwrnais a'r ffynnon mor agos at ei gilydd." Daw'r "ffwrnais" i'w hemynau yn ei thro:

Mae bod yn fyw yn fawr ryfeddod
  Mewn ffwrneisiau sydd mor boeth;
Ond mwy rhyfedd, wedi 'mhrofi
  Y dof i'r canol fel aur coeth.

A thrachefn:

Digon mewn llifeiriant dyfroedd,
  Digon yn y fflamau tân;
O! am nerth i lynu wrtho,
  A phara byth yn ddiwahân.
Ar ddryslyd lwybrau tir Arabia,
  Lle mae gelynion fwy na rhi',
Rho gymdeithas dioddefiadau
Gwerthfawr angau Calfari.

Ni bu Ann Griffiths erioed yn Arabia, fel y bu'r Apostol Paul, ond hi a fu mewn rhyw Arabia ysbrydol fwy nag unwaith. Eto nid "Arabia" oedd y cwbl oll yn ei hanes, canys y mae hi'n addef yn un o'i llythyrau "fod yr Arglwydd yn datguddio cymaint o'i ogoniant weithiau drwy ddrych mewn dameg ag a all fy nghyneddfau gweiniaid i ei ddal."

Yn chwanegol at yr hyn oll a nodwyd, daw'r nodweddion hyn hefyd i'r amlwg yn ei llythyrau: addfwynder a didwylledd ysbryd, calon dyner, difrifwch mawr, ac ymdeimlad dwfn o agosrwydd tragwyddoldeb (sonia amdani ei hun, ar ddiwedd mwy nag un llythyr, fel "un sydd yn cyflym deithio drwy fyd o amser i'r byd a bery byth").

3. EI HEMYNAU

Y mae gennym ni, genedl y Cymry, o leiaf un peth y gallwn ymffrostio ynddo gerbron y byd, sef ein hemynyddiaeth ar ei gorau. Yn ddilys ddiamau y mae Pantycelyn ymhlith emynwyr mwyaf yr oesoedd, ac yn haeddu ei enwi ar yr un anadl ag Isaac Watts a Charles Wesley. Y mae ein hemynau, ar eu gorau, yn llenyddiaeth odidog, er nad cynhyrchu llenyddiaeth oedd diben yr emynwyr. Ond gwnaethant hynny yn y fargen megis. Y mae lle anrhydeddus yn ddyledus i waith y ferch o Ddolwar Fach ymysg pethau gorau ein hemynyddiaeth. A chofio'r holl amgylchiadau, y mae ei hemynau hi'n rhyfeddod. Cofier ei hanfanteision a'i chyfnod a'i hamgylchiadau. Cofier mor fyr y bywyd a gynhyrchodd yr emynau: wyth mlynedd, a dyna'r cwbl. Dechreuodd ganu emynau ar ôl ei thröedigaeth efengylaidd yn 1797, a bu farw yn 1805. Rhyw ddeg a thrigain o benillion sy gennym o'i gwaith, tua phum cant a hanner o linellau; ac eto y mae hi mor anfarwol â'r iaith Gymraeg. Gofynnir ambell dro ba un ai Ann Griffiths ai Williams Pantycelyn yw'r emynydd mwyaf, ond prin y mae'r cwestiwn yn deg, a hynny am lawer rheswm. Yn un peth, fe gafodd Williams well addysg na'r cyffredin o lawer: bwriadai fynd yn feddyg, a bu'n gurad am dair blynedd; cafodd fyw nes bod yn bedair ar ddeg a thrigain oed; a chanodd gymaint mwy na'r ferch o Faldwyn. Gellir deall ambell un sy'n cael mwy o fendith drwy emynau Ann Griffiths na thrwy'r eiddo neb arall: trefnwyd amryw ddoniau i borthi amrywiol anghenion; ond prin y gellir yn deg ofyn pa un o'r ddau yw'r emynydd mwyaf. Eithr nid oes le i amau mawredd digymar Ann Griffiths ymhlith emynyddesau'r byd, gan gytuno â dyfarniad Caledfryn a Syr Owen Edwards. Addefwn fod Felicia Hemans a Frances Ridley Havergal yn fwy perffeithgwbl yn eu hemynau o ran mydr ac acen ac odl, ond y maent yn llawer iawn mwy dof a diwawr o ran meddwl a mynegiad; nid oes ganddynt ddim tebyg i'r urddas ymadrodd, beiddgarwch y cymariaethau, cyfoeth ac arucheledd y meddyliau, dwyster a dyfnder yr argyhoeddiadau a'r teimladau y sydd mor amlwg ac mor gyson yng ngwaith y Gymraes ieuanc hon.

PWY A'U DIOGELODD INNI?

Gweddus iawn ynom yw cydnabod ein dyled i'r bobl dda a ddiogelodd y trysorau hyn inni. Geneth dda, dduwiol oedd Ruth Evans a fu'n forwyn yn Nolwar Fach ac a ddaeth yn wraig i John Hughes, Pontrobert. Byddai Thomas Charles yn aros o dan eu nenbren pan ddeuai i bregethu yn yr ardal, a Ruth yn adrodd emynau ei chyfeilles a'i meistres Ann Griffiths wrtho; yntau'n eu hysgrifennu, neu'n dymuno ar John Hughes wneuthur hynny, ac yn mynd â hwy i'r Bala a'u cyhoeddi o'i wasg hyglod yn y dref honno yn 1806, ac yn ail argraffiad cyflawnach yn 1808 o dan y teitl "Hymnau o Fawl i Dduw a'r Oen."

Enw arall a haedda'n diolch yw John Hughes y gwehydd, yna'r ysgolfeistr (un o "ysgolfeistriaid Mr. Charles") a'r gweinidog Efengyl ar ôl hynny ym Mathafarn, Machynlleth. Gŵr mawr yn Israel ei ddydd oedd ef: pregethwr, diwinydd, emynydd. Bu ef yn lletya am dymor yn Nolwar Fach, ac efallai ei fod wedi cywiro ambell fydr ac odl yn emynau Ann Griffiths;

o'r ddau ef oedd y mwyaf coeth: ef a ddylai fod, gan ei fod yn ysgolfeistr ac yn bregethwr. Yn 1847 cyhoeddodd John Hughes ei Ddyddlyfr, yn cynnwys holl emynau a llythyrau Ann Griffiths. Yn 1905 cyhoeddodd Syr Owen Edwards y Dyddlyfr hwnnw yn "Cyfres y Fil." Cymwynas fawr oedd hynny gan fod emynau Ann Griffiths yn y Dyddlyfr yn union fel y canodd hi hwy, ac nid fel y newidiwyd hwy gan rywrai ar ôl dyddiau John Hughes.

Y NEWID A FU ARNYNT

Y mae'n iawn newid ambell air sathredig a oedd mewn rhai hen emynau, megis rhoi "penderfynu" yn lle "resolfo" a "cyfeillion" yn lle "ffrinds" ac "aberth" yn lle "ysglyfaeth." Y mae'n iawn hefyd gywiro iaith emynau gan amcanu at gywirdeb Cymraeg y Beibl. Cyhoeddwyd yn ystod y ganrif hon fwy nag un llyfr emynau Cymraeg sy'n cynnwys cannoedd lawer o wallau drwg elfennol. Ni ellir dychmygu am y fath beth yn digwydd yn Saesneg . . . Addefwn fod rhai o linellau Ann Griffiths yn rhy hir; er enghraifft, "Bererin llesg gan rym y stormydd" (mesur 8 a 7) lle y mae un sillaf yn ormod. Newidiwyd y llinell gan rai i hynyma: "Lesg bererin gan ystormydd," er mwyn i'r llinell fod yn wyth sillaf union. Ond tybed nad yw'r llinell "ddiwygiedig" yn fwy *llesg* na'r llinell wreiddiol? Y mae.rhyw rwysg yn honno na cheir mohono yn y llall. Ond gellir dadlau dros fyrhau'r llinellau a nodwyd, modd y byddont yn berffaith ganadwy i bawb heb unrhyw ymdrech ar ran neb i'w canu. Eto i gyd, nid drwg o beth yw i gynulleidfa roi ei meddwl ar waith a dysgu llithro dros y sillaf-drosben, fel y gwna'r cynulleidfaoedd sydd wedi hen arfer â'r peth, a hynny mewn dull hyfryd ei wala. Peth arall, purion peth yw cael tipyn o amrywiaeth yn hyd y llinellau mewn barddoniaeth ddigynghanedd-gaeth, er nad da yw gormod o amrywiaeth felly.

Ymhlith y cyfnewidiadau lluosog a wnaethpwyd ar emynau Ann Griffiths, ymddengys i ni mai un yn unig y gellir ei gyfiawnhau, sef "Dyma'r llywydd ar y môr" yn, lle'r hyn a geir ganddi hi: "Dyma ei *beilat* ar y môr." Myn rhai pobl nad yw "llywydd" yn welliant, a bod y gair yn eich atgoffáu am "lywydd" darlith neu eisteddfod; ond chwarae teg i'r newidwyr, go sathredig yw "beilat," ac un o linellau Ann Griffiths mewn emyn arall yw "Doethineb ydyw'r *Llywydd*," a cheir "llywydd" llong yn Iago iii. 4. Prin iawn y byddai'n werth edfryd "peilat" yn yr emyn adnabyddus. Ac eithrio'r cyfnewidiad yna, pethau i'w condemnio yw pob un arall a fu ar waith y ferch o Ddolwar Fach. Nodwn rai esiamplau. Mewn casgliad mawr o emynau a gyhoeddwyd yn 1954 ceir hwn:

Lesg bererin gan y stormydd,
  Cod dy olwg gwêl y wawr;
'R Oen yn gweini'r swydd gyfryngol
  Mewn llaes wisgoedd hyd y llawr;
Gwregys euraid o ffyddlondeb,
  Wrth ei odrau (!) clychau'n llawn;
Llwyr faddeuant i droseddwyr
  Trwy ei ddrud, anfeidrol ddawn.

Llinell 2: nid "gwêl y wawr" a ganodd A.G., ond "gwêl yn awr *Yr Oen . . .*" heb unrhyw atalnod rhwng y ddwy linell. Nid dywedyd chwaith fod ei odre'n llawn o glychau a wnaeth yr emynyddes, ond bod y clychau'n llawn o sŵn maddeuant. Fel hyn, wedi cywiro ychydig ar yr orgraff, y mae'r pennill i fod:

Bererin llesg gan rym y stormydd,
  Cyfod d' olwg, gwêl yn awr
Yr Oen yn gweini'r swydd gyfryngol
  Mewn gwisgoedd llaesion hyd y llawr:

Gwregys euraid o ffyddlondeb,
Wrth ei odre clychau'n llawn
O sŵn maddeuant i bechadur
Ar gyfrif yr anfeidrol Iawn.

Paham na buasai'r neb a newidiodd yr emyn wedi darllen Ecsodus xxviii. 31-35, lle y cafodd yr emynyddes y syniad am y clychau'n llawn o sŵn maddeuant?

Wele enghraifft arall o gyfnewid er gwaeth:

O! am gael ffydd i edrych,
Gyda'r angylion fry,
I fôr yr iachawdwriaeth,
Dirgelwch ynddi sy:
Dwy natur mewn un Person
Yn gyson yno gaed;
Anfeidrol a thragwyddol
Yw rhinwedd dwyfol waed.

Yn y ddwy linell olaf symudodd yr emynyddes oddi wrth y testun, Person Crist, at yr Iawn. Y mae Person Crist yn llawn ddigon o destun i un pennill; a pha beth bynnag a ddywedir am athrawiaeth Ann Griffiths yn y pennill fel y canodd hi ef, fe lynodd hi wrth ei thestun. Dyma'r pennill gwreiddiol, ar ôl cywiro ychydig ar y llinell olaf:

O! am gael ffydd i edrych,
Gyda'r angylion fry,
I drefn yr iechydwriaeth,
Dirgelwch ynddi sy:
Dwy natur mewn un Person
Yn anwahanol mwy,
Mewn purdeb heb gymysgu,
Yn eu perffeithrwydd hwy.

Ym mha le y cafodd Ann Griffiths yr athrawiaeth a ddysgir ym mhedair llinell olaf y pennill? Yng Nghredo Sant Athanasiws: "Nid cymysgu ohonom y Personau, na gwahanu'r Sylwedd." Gwyddai hi am y Credo hwnnw am ei bod wedi ei magu yn Eglwys y plwyf ac am y darllenid y Llyfr Gweddi Gyffredin (sy'n cynnwys y Credo) ar yr aelwyd gartref.

Camwri go fawr oedd newid "Er mai O RAN yr wy'n adnabod" i "Er mai *o'r braidd* yr wy'n adnabod" ym mhennill cyntaf "Wele'n sefyll rhwng y myrtwydd." Canys yn I Corinthiaid xiii. 12, y cafodd yr emynyddes y syniad a'r ymadrodd: "yn awr yr adwaen O RAN." Wedyn, yn yr un pennill, nid "Caf ei weled *heb un llen*" a ddywedodd hi, eithr "Caf ei weled FEL Y MAE," yn gyson â'r ymadrodd yn I Ioan iii. 2: "ni a gawn ei weled Ef megis air Y MAE."

Newidiwyd llinell yn un o'i hemynau mwyaf er gwaeth, sef "*Rhan* a bywyd colledigion" yn lle "*Cân* a bywyd colledigion" – llinell y mae blas cynghanedd yn hyfryd arni. Llinell arall a ddifwynwyd yw "Byw heb *allu* marw mwy" drwy ei newid i "Byw heb *ofni* marw mwy." Glynodd yr emynyddes wrth eiriau grymus yr Ysgrythur: "ni allant farw mwy" (Luc xx. 36); cywilydd wyneb i'r neb a fu'n euog o'u newid.

Y mae amryw linellau a phenillion eraill wedi eu hanurddo. Lle i ddiolch sydd gennym am fod y rheini wedi eu hedfryd i'w ffurfiau gwreiddiol mewn mwy nag un o'r casgliadau diweddaraf o emynau.

EU NODWEDDION A'U HATHRAWIAETH

Nid oedd Ann Griffiths ddim yn meddwl y byddai ei hemynau'n anfarwol. Pan fyddai Ruth Evans yn crefu arni i'w hysgrifennu, ysgydwai Ann ei phen gan ateb nad oeddynt yn werth eu hysgrifennu. Nid oes flas *gwneud* ar ei hemynau hi. Nid cael ei *wneud* y mae'r gwir emyn, cael ei eni y mae. Cyngor

Williams Pantycelyn i Morgan Rhys ei gymydog oedd am iddo beidio â meddwl am lunio emyn ond pan fyddai "mewn stad o brofiad uchel." Dyna nodwedd gyntaf emynau Ann Griffiths.

(1) Ffrwyth profiad. Bwrlwm calon lawn o fawl ac o neges ysbrydol ydyw emyn, profiad awenydd duwiol yn ymddangos mewn ffurf lenyddol. Rhaid wrth ryw gymaint o awen, ond nid rhaid cael bardd mawr, o anghenraid, i wneud emynydd. Nid da mewn emyn yw bod yn rhy farddonol, heb sôn am fod yn farddonllyd. Y mae eisiau dychymyg gwresog, ond nid gweddus yw unrhyw addurn er ei fwyn ei hun, na dim peiriannol. Rhaid i emyn fod yn syml, heb ddim chwyddedig o'i ddeutu nac ynddo, ac ar yr un pryd yn urddasol. Ni thâl dim byd rhad, rhy gyffredin a rhwydd. Y mae eisiau peth diwylliant i lunio emyn, fel y mae'n rhaid wrth beth awen, ond nid oes angen ysgolheictod, o angenrheidrwydd. Pwysicach yw'r cynnwys na'r wisg. Un elfen anhepgor arall mewn emyn yw bod ganddo neges, cenadwri, rhywbeth i'w ddweud, rhyw ddrychfeddwl, teimlad, datganiad; a rhaid mynegi'r neges gyda pharchedigaeth, cynhesrwydd ac eneiniad. Ni cheir emyn lle bo tlodi meddwl, ac ni cheir emyn o gwbl heb brofiad. Ceir y pethau a nodwyd oll yn emynau Ann Griffiths. Y mae ynddynt ôl darllen a meddwl, cyfoeth o ddiwinyddiaeth Gristionogol ac athrawiaethau mwyaf yr Efengyl, a'r cwbl wedi mynd yn rhan o brofiad yr emynyddes ieuanc, yn rymusterau sanctaidd yn ei bywyd, a hithau'n canu amdanynt o lygad y ffynnon. Ffrwyth myfyrdod dwfn a dwys, a phrofiad cyffelyb, yw ei hemynau. Yr oedd canu'r emynau yn esmwythâd i'w hysbryd a oedd mor llawn o ras a gwirionedd yr Efengyl. Un o'r disgrifiadau gorau o natur a diben emyn yw'r eiddo John Wesley yn ei Ragymadrodd i'r "Collection of Hymns for the use of the People called Methodists" (1779):

"cyfrwng i ddeffroi neu i fywhau ysbryd defosiwn; i gadarnhau ffydd; i fywiocáu gobaith; ac i ennyn cariad at Dduw a dyn. Pan fo Barddoniaeth yn y modd hwn yn cadw ei lle, yn llawforwyn Duwioldeb hi a ennill, nid rhyw flodeudorch dlawd a diflanedig, ond coron anniflanedig."

Y mae pob gair yn y dyfyniad cynhwysfawr yn wir am emynau Ann Griffiths, ond ni byddai'r un gair ohono'n wir am ei gwaith oni bai ei fod yn ffrwyth ei phrofiad.

(2) Nodwedd amlwg iawn yn ei hemynau yw'r *lle mawr sydd ynddynt i'r Beibl a'i ymadroddion*. Y maent wedi eu trochi a'u trwytho yn yr Ysgrythur. Nodwyd rhai enghreifftiau o hynny eisoes. Yr oedd Pantycelyn yn fardd Natur a Serch yn ogystal â bod yn fardd Beiblaidd a Christionogol. Galwai ef ar holl elfennau'r cyfanfyd, a gwnâi gerddorfa ohonynt i foliannu'r Meseia mawr:

Chwi adar ar yr adain, sy'n chwarae uwch ein pen,
Rhowch eich telynau'n barod o glod i Frenin nen;
Anadled yr awelon, murmured pob rhyw nant
Ryw sŵn soniarus, hyfryd, fel bysedd byw ar dant;
Fellt, fflamiwch ei anrhydedd; daranau, seiniwch chwi
Ei glod, tra fyddo moroedd yn rhuo i maes ei fri.

Ni cheir fawr ddim Natur yng ngwaith Ann Griffiths heblaw hynny o Natur sydd yn y Beibl. Os sôn am daran a wna hi, y daran a glybu Moses yn Sinai yw honno:

Yn nirgelwch grym y daran,
Codwyd allor wrth ei droed,

Os sôn am afon y mae, nid afonydd Hafren na Fyrnwy na Banwy ym Maldwyn a wêl hi, ond afon Iorddonen:

Os rhaid wynebu'r afon donnog,
  Mae un i dorri grym y dŵr;
Iesu, f' Archoffeiriad ffyddlon,
  A chanddo sicir afael siŵr;
Yn ei gôl caf weiddi Concwest
  Ar angau, uffern, byd a bedd!
Tragwyddol fod heb fodd i bechu,
  Yn ogoneddus ar ei wedd.

Pan yw'n sôn am gynhaeaf, nid cynhaeaf ar un o feysydd Dolwar Fach a ddaw i'w bryd, eithr cynhaeaf maes Boas yn Llyfr Ruth:

Cofia ddilyn y medelwyr,
  'Mhlith y 'sgubau treulia d' oes;
Pan fo'r gwres yn fwyaf tanbaid,
  Gwlych dy damaid wrth y Groes.

Rhyw ddiwrnod y mae hi'n darllen yng Nghaniad Solomon, viii. 5: "Pwy yw hon sydd yn dyfod i fyny o'r anialwch, ac yn pwyso ar ei hanwylyd?" a dyma hi'n dechrau canu:

O! am ddyfod o'r anialwch
  I fyny fel colofnau mwg,
Yn uniongyrchol at ei orsedd,
  Nid oes yn ei wedd Ef wg.

Ar ddechrau'r ganrif hon bu bardd enwog o Gymru ar ymwelad â'r Aifft er lles ei iechyd. Un bore, yn blygeiniol, ar gwr y ddinas lle y preswyliai, gwelodd y bardd babell rhyw Eifftiwr neu Arab a mwg yn esgyn ohoni'n golofnau sythion, uniongyrchol, drwy awyr denau eglur y Dwyrain tua'r nefoedd. Cofiodd y bardd am bennill Ann Griffiths, ac ni allai yn ei fyw ddyfalu sut y cafodd hi afael ar y darlun, oblegid ni bu hi erioed yng ngwlad yr Aifft megis y bu ef. Naddo'n ddiau, ond ni bu yntau erioed yn Llyfr

Caniad Solomon; neu os bu, yr oedd wedi hen anghofio hynny.

Wrth ddarllen Llyfr Esther a gweled Ahasferus y brenin yn estyn ei deyrnwialen i ddangos ei ffafr i'r Iddewes Esther, fe welodd y Gymraes yn hynny ddarlun o Frenin y brenhinoedd yn dangos ei ffafr iddi hithau:

Anturiaf ato yn hyderus,
Teyrnwialen aur sydd yn ei law;
Estyniad hon sydd at bechadur,
Ni wrthodir neb a ddaw.

Dyna Lyfr Esther wedi ei ysbrydoli, yn fwy nag erioed, o dan y Cyfamod Newydd ac yn ei oleuni.

Gwelodd Sechareia angel yn sefyll rhwng y myrtwydd (pennod i. 10-12) sef coed mân isel sy'n deilio'n dlws ac yn blodeuo'n hyfryd. Gwelodd Ann Griffiths Greawdwr yr holl angylion, a dechreuodd ganu:

Wele'n sefyll rhwng y myrtwydd
Wrthrych teilwng o'm holl fryd.

Yr adnod olaf yn Llyfr Daniel yw hon: "Dos dithau hyd y diwedd: canys gorffwysi, a sefi yn dy ran yn niwedd y dyddiau." Yr hyn a roes yr emynyddes ar ddiwedd ail linell ei hemyn "O! ddedwydd awr" oedd "yn fy rhan" nid "yn y man"(!) fel y rhoes rhyw gyfnewidiwr mewn amryfusedd cadarn. Emyn mawr yw hwn o'r eiddi:

O! ddedwydd awr tragwyddol orffwys
Oddi wrth fy llafur, YN FY RHAN
Yng nghanol môr o ryfeddodau,
Heb weled terfyn byth na glan.

O'r Beibl y cafodd hi ei geiriau mawr: pabell, noddfa, cymod, meddyg, cyfamod, ymguddfa, Iawn, dyweddi, anialwch, teyrnwialen, Archoffeiriad. Rhwng popeth, nid syn yw bod y fath eneiniad ar ei hemynau a bod Ysbryd y Peth Byw yn cerdded drwyddynt: yr un eneiniad dwys a hyfryd, a'r un Ysbryd â'r sawl sydd yn y Beibl ei hun.

(3) Nodwedd arall yw *beiddgarwch ysbrydoledig*. A chofio mai merch ydoedd, a merch mor ieuanc, y mae ei beiddgarwch sanctaidd yn destun syndod. Dyna'i disgrifiad o Grist ar ei Groes:

> Nerthodd freichiau ei ddienyddwyr
> I'w hoelio yno ar y Groes.

Am Grist yn ei fedd:

> Y greadigaeth ynddo'n symud,
> Yntau'n farw yn ei fedd.

A dyna'r cwpled mawr, aruchel nad oes dim ardderchocach nag ef yn llenyddiaeth Cymru:

> Rhoi Awdwr bywyd i farwolaeth,
> A chladdu'r Atgyfodiad mawr.

4. *Dawn i ryfeddu*. Un o'r doniau gwerthfawrocaf yw'r dawn hwn. Hebddo, rhywbeth tlawd yn wir fyddai ein bywyd. Yr oedd y gynneddf hon yn amlwg yn Ann Griffiths, a chafodd hi destun i ryfeddu ato yn yr Efengyl, gan ddechrau efo'r Ymgnawdoliad:

> *Rhyfedd, rhyfedd* gan angylion,
> *Rhyfeddod mawr* yng ngolwg ffydd,
> Gweld Rhoddwr bod, Cynhaliwr helaeth,
> A Rheolwr popeth sydd,
> Yn y preseb mewn cadachau,
> A heb le i roi'i ben i lawr,
> Eto disglair lu'r gogoniant
> Yn ei addoli'n Arglwydd mawr.

Testun syndod diddiwedd iddi hi oedd holl Drefn y Cadw:

> Pechadur aflan yw fy enw,
> O ba rai y penna'n fyw;
> *Rhyfeddaf byth*, fe drefnwyd pabell
> Im gael yn dawel gwrdd â Duw.

Ar ôl iddi ddechrau gweld â'i llygaid ei hun fawredd digyffelyb ei Gwaredwr y dechreuodd hi ryfeddu nes canu fel y gwnaeth. Oni bai am y profiad hwnnw prin y buasai hi wedi canu llinell anfarwol o gwbl. O leiaf, ar ôl y profiadau a gafodd hi yn Llanfyllin a Phontrobert, ac o'u plegid, y canodd hi fel hyn:

> Ni ddichon byd â'i holl deganau
> Fodloni fy serchiadau'n awr,
> A enillwyd, a ehangwyd
> Yn nydd nerth fy Arglwydd mawr;
> Ef, nid llai, a eill eu llenwi,
> Fythol ddiamgyffred Dduw;
> O! am syllu ar ei Berson:
> *Rhyfeddod pob rhyfeddod yw.*

"Cân a bywyd colledigion" yw "*Rhyfeddod mawr* angylion nef" yn ogystal â thestun rhyfeddod y côr sy'n "gweiddi 'Iddo Ef'." Edrych yr emynyddes ymlaen at yr amser y bydd hithau'n mwynhau'r profiad hyfryd hwn:

> Yn lle cario corff o lygredd,
> Cyd-dreiddio â'r côr yn danllyd fry
> I *ddiderfyn ryfeddodau*
> Iechydwriaeth Calfari.

5. *Cyfriniaeth*. Y mae'n debyg pe dywedid wrthi ei bod yn Gyfrinydd na byddai Ann Griffiths yn deall beth a olygid wrth yr ymadrodd. Yn ôl y Dr. W. J. Gruffydd, Morgan Llwyd oedd

cyfrinydd cyfundrefnol mwyaf Cymru, Islwyn y cyfrinydd athronyddol mwyaf, ac Ann Griffiths y cyfrinydd crefyddol mwyaf. Fodd bynnag am hynny, yr oedd ei chyfriniaeth hi'n gwbl Gristionogol:

Caf fynd i wledda dros y terfyn,
Yng Nghrist y Gair, heb gael fy lladd.

(Dyna enghraifft arall o wau'r Ysgrythur i mewn i'w hemynau: "Gosod derfyn ynghylch y mynydd, a sancteiddia ef," Ecsodus xix. 23.)

Y mae'r meddwl a'r mynegiad yn y dyfyniadau a ganlyn yn gwbl nodweddiadol o gyfriniaeth ar ei gorau:

O! am dreiddio i'r adnabyddiaeth
O'r unig wir a bywiol Dduw
I'r fath raddau a fo'n lladdfa
I ddychmygion o bob rhyw.

O! na chawn i dreulio 'nyddiau
Yn fywyd o ddyrchafu'i Waed;
Llechu'n dawel dan ei gysgod,
Byw a marw with ei draed.

Addurna f' enaid ar dy ddelw,
Gwna fi'n ddychryn yn dy law
I uffern, llygredd, annuwioldeb,
Wrth edrych arnaf, i gael braw.

6. *Ei hathrawiaeth am Berson Grist*. Yr oedd Ef i Ann Griffiths yn bob peth. Enghraifft dda o'i syniad am y Gwaredwr yw'r cwpled cyfoethog hwn:

Mae ynddo'n trigo bob cyflawnder,
Llond gwagle colledigaeth dyn.

Y mae dysgeidiaeth y cwpled yna'n cytuno â'i holl athrawiaeth. Crist yw "pabell y cyfarfod"; yn ei Waed Ef y mae "cymod" yn bosibl rhwng Duw a dyn; y mae Ef yn "noddfa i lofruddion" ac yn Feddyg rhad i gleifion. Ef yw'r

Ffordd i gyfiawnhau'r annuwiol,
Ffordd i godi'r meirw'n fyw;
Ffordd gyfreithlon i droseddwyr
  I hedd a ffafor gyda Duw.

Y mae Crist yn anfeidrol addas a digonol ar gyfer holl anghenion meibion a merched dynion:

O! f'enaid gwêl addasrwydd
  Y Person rhyfedd hwn;
Dy fywyd mentra arno,
  Ac arno rho dy bwn:
Mae'n ddyn i gydymdeimlo
  Â'th holl wendidau i gyd;
Mae'n Dduw i gario'r orsedd
  Ar ddiafol, cnawd a byd.

"*Mae*'n ddyn": nid yn ystod dyddiau ei gnawd yn unig yr oedd Crist yn ddyn, a chyflawnder Duwdod wedi ymddangos ynddo yn ystod y tymor hwnnw, a heb fod yn ddim mwy na hynny. Na, y mae'r natur ddynol o dan ei choron yrn Mherson Crist am byth ac, yng ngeiriau Puleston Jones, y mae Crist "yn dehongli profiad yr amherffaith a'r temtiedig yng nghyfrinach y Duwdod mawr."

Yn y ddwy linell

Mae'n ddyn i gydymdeimlo
  Â'th holl wendidau i gyd,

y mae'r Arglwydd Iesu'n anfeidrol agos atom, yn un ohonom, a'i ysgwydd gref yn barod i'w rhoi o dan ein beichiau; yn gallu cydymdeimlo â'n holl wendidau *i gyd* (nid â'n "holl wendidau *mawr*" fel y newidiwyd yr emyn gan rywrai er mwyn odli â'r gair a wthiwyd ganddynt i mewn i ddiwedd y llinell olaf:

Mae'n Dduw sy'n maddau beiau
I waelaidd lwch y llawr.)

Yn y ddwy linell olaf, megis y maent gan yr emynyddes,

Mae'n Dduw i gario'r orsedd
Ar ddiafol, cnawd a byd,

y mae'r Arglwydd Iesu'n Dduw bendigedig yn oes oesoedd, a'i lywodraeth ar bawb ac ar bob peth. Yn y bumed a'r chweched llinell yn y pennill a ddyfynnwyd y mae Crist yn anfeidrol debyg i ni ac yn agos atom; yn y seithfed a'r wythfed llinell y mae Ef yn anfeidrol uwchlaw inni, yn Rhywun y bydd yn rhaid inni edrych i fyny ato am byth, Rhywun sydd yn anfeidrol annhebyg inni. Priodol yw inni gofio'n wastad na buasai Crist Iesu yn Waredwr i ni bechaduriaid oni bai ei fod yn anfeidrol annhebyg inni yn ogystal â bod yn anfeidrol debyg inni. Am ei fod yn Dduw-ddyn felly y daeth hynyma'n wir:

Dwyn i mewn dragwyddol heddwch
Rhwng y nef y nef a daear lawr.

Crist yw'r "babell" a "drefnwyd" modd y gall "pechadur aflan" gael "yn dawel gwrdd â Duw." Yng Nghrist y mae Duw ei Hun:

Yno mae, yn llond ei gyfraith,
I'r troseddwr yn rhoi gwledd;
Duw a dyn yn gweiddi, Digon,
Yn yr Iesu, 'r aberth hedd.

7. *Troi'r groes yn goron.* Yng nghanol ei hamryfal brofiadau dyfnion ac anghyffredin, coleddodd ffydd ddiymod ym Mhenarglwyddiaeth y Goruchaf Dduw a'i datguddiodd ei Hun yn berffaith yn y Crist Croeshoeliedig ac Atgyfodedig. Nid hi a ganodd y pennill "O! Arglwydd Dduw rhagluniaeth," eithr hi biau ei gymar:

> Er cryfed ydyw'r gwyntoedd,
>   A chedyrn donnau'r môr,
> Doethineb ydyw'r Llywydd,
>   A'i enw'n gadarn Iôr;
> Er gwaethaf dilyw pechod
>   A llygredd o bob rhyw,
> Dihangol byth heb soddi,
>   Am fod yr Arch yn Dduw.

Daw yr un ffydd, sydd yn cynnwys ymateb ei henaid i'r datguddiad yng Nghrist, i'r golwg yn amlwg yn y pennill grymus hwn o'r eiddi (dodir ef yma fel y canodd hi ef, nid fel y llurguniwyd ef yn ddiweddarach):

> Er mai cwbwl groes i natur
>   Yw fy llwybyr yn y byd,
> Ei deithio wnaf, a hynny'n dawel,
>   Yng ngwerthfawr wedd dy wyneb-pryd;
> Wrth godi'r groes, ei chyfri'n goron;
>   Mewn gorthrymderau, llawen fyw:
> Ffordd unionaf, er mor ddyrys,
>   I ddinas gyfaneddol yw.

"Wrth godi'r groes," nid baglu ar ei thraws, ond ei chodi: dyna dipyn o gamp, i ddechrau. Eithr nid dyna'r cwbl: "ei chyfri'n goron,"gwneuthur defnydd ohoni, plethu ei dellt yn goron o sancteiddrwydd ar ei phen, defnyddio'i phrofedigaethau, a dyfod allan ohonynt yn fwy na choncwerwr. Ym mha le y dysgodd yr emynyddes yr athrawiaeth neu'r athroniaeth yna? Yng ngoleuni Croes Fawr ein Harglwydd lesu Grist, lle troes Duw farwolaeth ei Fab yn fywyd i'r byd: troi'r felltith fwyaf a fu erioed i fod y fendith fwyaf oll, troi cwymp trychinebus yn gyfodiad gogoneddus. Gwelodd hi y gallai'r Duw a goncweriodd ar Galfaria goncwerio ym mhobman, a throi *pob* croes yn goron a phob melltith yn fendith: troi'r ffordd fwyaf dyrys yn "ffordd unionaf" i gyfeiriad Dinas Duw.

8. *Pwyslais mawr, gwastadol ar y gwrthrychol mewn crefydd.* Nid canu am ei phrofiadau ei hun, yn bennaf o lawer, yr oedd Ann Griffiths, eithr am Grist, y Gwrthrych a all greu profiadau a'u cadw yn fyw, eu porthi a'u diodi. Yn wahanol i Bantycelyn: canodd ef am bob math o brofiad, ac ar yr un pryd canodd fwy am Grist na'r un Cymro arall. Canodd Ann Griffiths *o'i* phrofiad, fel y pwysleisiwyd eisoes, onid e ni buasai ei gwaith yn *emynau* o gwbl; yr un modd Pantycelyn, ond canodd ef nid yn unig o'i brofiad ond hefyd *am* brofiad, ac ymron am bob math ar brofiad y gall Cristion ei gael y tu yma i'r nefoedd. Yn wir, bron na ddywedem fod gan Bantycelyn ambell bennill a weddai'n dda i'r credadun ar ôl mynd ohono i mewn drwy ddrws y nefoedd. Ond nid *am* ei phrofiadau, yn bennaf o lawer, y canodd Ann Griffiths, eithr am y Gwrthrych teilwng o'i holl fryd. Nid canu am ei chyfranogiad hi o fendithion yr Iechydwriaeth yng Nghrist a wnaeth hi, yn ogymaint ag am y bendithion eu hunain yn eu cyflawnder a'u gogoniant fel y maent wedi eu paratoi yng Nghrist Iesu. Galw yr oedd hi am ffydd i edrych, nid i'r galon ddrwg anghrediniol er mwyn gweld a oedd hi'n gwella ai peidio, ond "i drefn yr Iechydwriaeth" a'i dirgelwch a'i rhyfeddodau, a *gwella wrth wneuthur hynny.*

Y mae'n ddiddorol a phwysig sylwi pa mor aml y daw'r gair "gwrthrych" i'w hemynau:

Mae fy nghalon am ymadael
  Â phob rhyw eilunod mwy,
Am fod arni'n argraffedig
  Ddelw *gwrthrych* llawer mwy.

Hiraetha'r emynyddes am weld ei meddwl, "sy yma'n gwibio ar ôl teganau gwael y llawr,"

Wedi ei dragwyddol setlo
  Ar *wrthrych* mawr ei Berson Ef,
A diysgog gydymffurfio
  Â phur a sanctaidd ddeddfau'r nef.

Achos diolch a moliannu diddiwedd sydd ganddi wrth gofio am y fath wrthrych:

Diolch byth, a chanmil diolch,
  Diolch tra fo ynof chwyth,
Am fod *gwrthrych* i'w addoli,
  A thestun cân i bara byth.

Daw'r un pwyslais i'r golwg mewn cwpledau fel y rhain:

Addoli'r Mab i dragwyddoldeb,
  Heb golli 'ngolwg arno mwy.

* * *

Tragwyddol syllu ar y Person
  A gymerodd natur dyn,

Bron na ellid yn briodol ddywedyd bod ei holl athrawiaeth a'i phrofiadau a'i dyheadau wedi eu cynnwys yn y cwpledau a nodwyd yn awr.

Gwelir yr un peth yn eglur iawn yn yr emyn hyglod y mae cymaint canu arno (ac a lurguniwyd, yntau, mewn modd eithaf annhei1wng:

Wele'n sefyll rhwng y myrtwydd
Wrthrych teilwng o'm holl fryd,

Y mae hi'n sicr ohono, cyn belled ag yr â ei phrofiad personol a phresennol.

Er mai *o ran* yr wy'n adnabod
Ei fod *uwchlau gwrthrychau'*r byd,

Daw pethau'n well ryw ddydd:

Henffych fore
Y caf ei weled fel y mae.

Yn wir, erbyn yr ail bennill, y mae pethau wedi gwella llawer eisoes:

Rhosyn Saron yw ei enw,
Gwyn a gwridog, teg o bryd;
Ar ddeng mil y mae'n rhagori
O *wrthrychau* penna'r byd.

Dyna'r Gŵr a welsai rhwng y myrtwydd wedi gyrru cynifer â *deng mil* o wrthrychau *penna'r* byd i'r cysgod.

Ac yna:

Beth sydd imi mwy a wnelwyf
Ag eilunod gwael y llawr?
Tystio'r wyf nad yw eu cwmni
I'w *gystadlu* â'm Iesu mawr.

Ie, dyna a ddywedodd hi: nid i'w "gymharu." Nid ydynt yn y gystadleuaeth o gwbl, y maent allan ohoni'n lân, heb basio y rhagbrawf! "Iesu'n unig," Iesu anghymharol yw'r Gwrthrych y rhoes hi ei bryd arno. A sylwer ar y diwedd:

O! am aros
Yn *ei* gariad ddyddiau f'oes.

Nid ei chariad hi ato Ef, ond ei gariad diymollwng Ef tuag ati hi: dyna'r cariad y mae hi'n byw arno, y cariad sy'n achub ac yn sancteiddio – cariad y *Gwrthrych* sy'n anfeidrol deilwng i'w ryfeddu byth a'i addoli i dragwyddoldeb.

* * *

Er cymaint y newid a fu ar Gymru yn ystod y can mlyndd a hanner a aeth heibio er pan roed gweddilion cysegredig Ann Griffiths i orffwyso ym mynwent Llanfihangel-yng-Ngwynfa, y mae eto filoedd lawer ohonom ni Gymry'n parhau i fawrhau ei hemynau cyfoethog ac eneiniedig; a thra bydd calonnau Cymro a Chymraes yn curo, a rhyw gymaint o gariad yn eu calonnau at Brynwr mawr y byd, a thra fo'r firain gywrain gain Gymraeg ar eu tafodau, fe fydd enw Ann Griffiths fyth yn annwyl ganddynt a hi a elwir yn wynfydedig.